Frederik Peeters
PILULES BLEUES

ATRABILE

... DISCERNER ...

.. DISCIPLINE ...

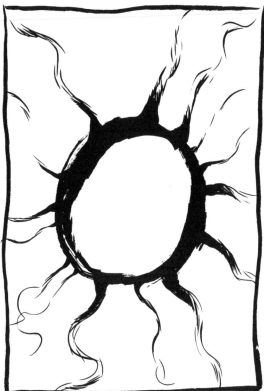

..EMM.. DISCOBOLE...

..DISCONVENIR...

AH!,,VOiLà!.. DISCORDANT!..

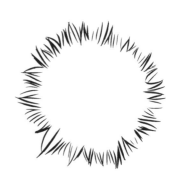

5.

...J'IMAGINE ASSEZ BIEN UN TRENTENAIRE UN PEU PÉDANT, TROIS CHEVEUX GRIS ET LUNETTES TEINTÉES BLEU-VERT, GRATTER SA BARBE DE TROIS JOURS EN ME DISANT : "OH.. TU SAIS, À LA LONGUE, NEW-YORK C'EST COMME UN VILLAGE..."

...MM.. EH BIEN IMAGINE GENÈVE !..

..PASSEZ-Y VINGT ANS ET VOUS VOUS DEMANDEREZ COMMENT IL PEUT Y AVOIR ENCORE DES INCONNUS AVEC AUTANT DE VISAGES FAMILIERS .. PROBABLEMENT QUE LES VILLES GÉNÈRENT DES INCONNUS EN PERMANENCE ...

... DANS UNE RESPIRATION LENTE ET VITALE..

M.

ET DE TEMPS EN TEMPS, PARMI CEUX-LÀ, QUELQUES PERSONNES QUI SORTENT DU LOT...

CETTE PETITE CATÉGORIE DE GENS DÉJÀ FAMILIERS À LA PREMIÈRE RENCONTRE.. QUE VOUS NE VOUS ÉTONNEZ JAMAIS DE CROISER PAR HASARD AU COIN DE LA RUE .. ET À QUI VOUS VOUS SURPRENEZ À PENSER EN ÉCOUTANT DE LA MUSIQUE...

12.

L'ÉTÉ.. J'ADORE L'ÉTÉ.. C'ÉTAIT IL Y A SIX OU SEPT ANS, DANS UNE DES RICHES COMMUNES DU CANTON.. UNE VILLA AVEC PISCINE AU BORD DU LAC.. LES PARENTS DEVAIENT ÊTRE EN VOYAGE.. UNE DE CES SOIRÉES GENTIMENT DÉBAUCHÉES OÙ LA JEUNESSE DORÉE GENEVOISE SE VAUTRE DANS SES PRIVILÈGES... IL FAISAIT NUIT ET CHAUD..

JE NE ME RAPPELLE PAS CE QUE JE FOUTAIS LÀ-BAS.. UN REBOND HASARDEUX SANS DOUTE.. C'ÉTAIT SOUVENT LE CAS À L'ÉPOQUE.. IL DEVAIT Y AVOIR GUYVES, GARANT DES EXCÈS PSYCHOTROPIQUES...

ALEX, GARANT DES EXCÈS INTELLECTUELS...

ET SI NOUS ALLIONS NOUS BAIGNER.. LES AMIS ?!. ...

..ET DEUX ESPÈCES DE FOLLES FURIEUSES, CATI ET GUITI.. GUITI EST LA SŒUR DE GUYVES.. NOUS ÉTIONS CHEZ EUX..

GUITIII ! CHAMPAGNE! ...

JUSQUE LÀ RIEN DE PARTICULIER.. J'AIMAIS BIEN CATI.. ELLE M'IMPRESSIONNAIT..

ALLEZ ! ON SE FOUT À L'EAU ! ..

OUAIS.. ..HUM.. BONNE IDÉE..

14.

EN TROIS PETITS BONDS, ELLES ÉTAIENT DANS L'EAU.. AUCUNE HÉSITATION...
ET LÀ.. J'AI EU CETTE VISION.. LORSQUE CATI A ÉMERGÉ..

LA PETITE INSOLENTE ÉTAIT NUE SOUS UN T-SHIRT BLANC...

EN GROS, JE ME SUIS DIT DEUX CHOSES ...

'ERCI
''

UN : "QUEL EST CE GENRE DE FILLE QUI PEUT SE PERMETTRE DE BOIRE DU CHAMPAGNE DANS UNE PISCINE AVEC UN T-SHIRT MOUILLÉ, TOUT EN RESTANT CLASSE ET DE BON GOÛT ?"

DEUX : "BONTÉ DIVINE.. QUELS SEINS MAGNIFIQUES!"

PLUS TARD, ELLE A DISPARU AVEC GUYVES, ET GUITI AVEC ALEX.. MOI-MÊME, EST-CE QUE J'ÉTAIS AVEC QUELQU'UN À L'ÉPOQUE, JE NE ME RAPPELLE PAS.. EN TOUT CAS, J'AI TERMINÉ LA NUIT SUR UN CANAPÉ EN CUIR BEIGE ULTRA SOUPLE...

JE DEVAIS AVOIR DIX-NEUF ANS, ELLE VINGT ET UN.. JE NE SAVAIS MÊME PAS SI ELLE M'AVAIT REMARQUÉ.. NOUS AVIONS CERTAINEMENT PARLÉ..J'AVAIS CERTAINEMENT BÉGAYÉ.. JE ME SOUVIENS M'ÊTRE DEMANDÉ SI NOUS ÉTIONS PLUTÔT TRÈS SEMBLABLES, OU TRÈS DIFFÉRENTS...

CETTE SOIRÉE AURAIT DÛ SE PERDRE DANS L'OUBLI, PARMI TANT D'AUTRES .. MAIS À PLUSIEURS TITRES, ELLE EST RESTÉE UN DES EMBLÈMES DE MA POST-ADOLESCENCE ...

..EE .. HUM .. EXCUSEZ-MOI ..

EXCUSEZ-MOI, MADAME .. ..

S'IL VOUS PLAÎT ! ..

DANS LES ANNÉES QUI SUIVIRENT, JE NE L'AI PAS BEAUCOUP REVUE.. UNE FOIS PAR AN TOUT AU PLUS..

... AU RYTHME DES HASARDS ORGANISÉS PAR LA VILLE...

.. LA DEUXIÈME FOIS NOTAMMENT .. C'ÉTAIT ALORS QUE JE ME RENDAIS CHEZ ALEX (UN AUTRE...) ..
.. ENVIRON UN AN APRÈS...

EH!
SALUT!
...

?!

EEH!
...

19.

ELLE EST APPARUE...   ..À UN MÈTRE CINQUANTE AU-DESSUS DU SOL...

..C'EST MARRANT QU'ON SE REVIE COMME ÇA... ..T'HABITES PAR LÀ?.. ...

EE..NONNON.. J'VAIS VOIR ALEX.. IL HABITE AU CINQUIÈME ..

..MARRANT.. ...

..ET TOI?

MOI J'HABITE ICI.. JE VIENS D'EMMÉNAGER. ...

C'EST BIEN CE BOUC! .. ÇA TE DONNE L'AIR MOINS JEUNET... ...

HAHA.. ..ET TOI, T'AS UN TANTINET ROUSSI DES CHEVEUX, HEIN..

..ÇA TE DONNE L'AIR MOINS ... EE ...

'FIN C'EST JOLI QUOI !..

..C'ÉTAIT COMME AU THÉÂTRE...

HIHI ..

HAHA ..

JE T'OFFRE UN VERRE SI T'AS CINQ MINUTES...

20.

...C'ÉTAIT BIEN.. COMME UNE BULLE DE SAVON...

AU COURS DES ANNÉES QUI SUIVIRENT, J'APPRIS QU'ELLE S'ÉTAIT MARIÉE, ET QU'ELLE ÉTAIT DEVENUE MAMAN.. ELLE DÉMÉNAGEA AU QUATRIÈME ÉTAGE DU MÊME IMMEUBLE .. JUSTE EN DESSOUS DE CHEZ ALEX ...

JE L'AI RECROISÉE ENCORE À LA FIN DE L'ÉTÉ 99.. JE M'EN SOUVIENS PARCE QUE J'ÉTAIS EXTRÊMEMENT FERMÉ, DE TRÈS MAUVAIS POIL... UNE SALE PÉRIODE...

ELLE PORTAIT SON FILS...

SALUT!..

AH!.. SALUT!.. ÇA VA?...

MM.. ET TOI, T'AS L'AIR FATIGUÉ!...

LUI, JE NE L'AI PAS REGARDÉ.. PRESQUE PAS REMARQUÉ...

C'EST JOLI.. CE.. CE BLOND.. "..

TES CHEVEUX..

OUAISBOF.. J'AI ENVIE DE CHANGER...

.., ET J'AI ENTENDU DIRE QUE TU DESSINES PLUS QUE JAMAIS.. C'EST CHOUETTE..

.. TU ARRIVES À EN VIVRE?..

BIN.. C'EST COMPLIQUÉ.. .. EN FAIT J'AIME PAS TROP QU'ON ME POSE CETTE QUESTION.. ...

grat

J'AI PENSÉ : "TOI AUSSI, TU AS L'AIR FATIGUÉE..."

BON.. JE TE LAISSE.. .. EE.. DÉSOLÉ.. .. JE.. JE SUIS PRESSÉ ...

ET PUIS FINALEMENT, IL Y A EU CE NOUVEL AN 99-2000... UN ÉVÉNEMENT QUI M'ANGOISSAIT DEPUIS DES SEMAINES... J'AVAIS EU TELLEMENT ENVIE D'EN FAIRE LA PLUS BANALE DES SOIRÉES QUE, DANS UNE TOTALE DÉCONTRACTION, ELLE S'ÉTAIT RENDUE MÉMORABLE TOUTE SEULE...

AVEC PLEIN D'AMIS, NOUS AVIONS DÉCIDÉ DE NOUS RETROUVER À UNE HEURE DU MATIN, APRÈS QUELQUES PÉRÉGRINATIONS INHÉRENTES À L'ÉVÉNEMENT, POUR MANGER COMME DES PORCS TOUTE LA NUIT...

... CHEZ ALEX (CELUI DU CINQUIÈME ÉTAGE..)

... COMME QUOI ON NE PEUT PAS IMPUNÉMENT RACONTER DES CONNERIES.. TU VOIS...

UUH!

..OU ALORS TU T'EXPOSES À UN CHÂTIMENT DIVIN...

.. ET HOP! HUITRE ET FOIE GRAS!
..

J'ÉTAIS IVRE ...

USTE MER LE EU..
"

SLURP

MM
"

Cati était présente, seule ... discrète comme une ombre ...

ELLE NE FAISAIT PAS PARTIE DU CERCLE DE GENS QUE JE FRÉQUENTAIS .. ELLE NE FAISAIT PLUS PARTIE D'AUCUN CERCLE, JE CROIS .. ELLE N'ÉTAIT LÀ QU'AU TITRE DE VOISINE DU DESSOUS.

25.

...À UN MOMENT, LE FLUX DE LA SOIRÉE M'A PORTÉ À SES CÔTÉS...

EXÉCRABLE !
...

..EE..
QUOI ?
..

..LA DERNIÈRE FOIS
QU'ON S'EST VUS...
...TU AS ÉTÉ
EXÉCRABLE...

MM.. TU REMARQUERAS
COMME JE SUIS CHARMANT
CE SOIR, EN TOUT CAS..
...

TU ES
BOURRÉ !
...

QUOI QU'IL EN SOIT, JE REVENDIQUE EN TOUTES CIRCONSTANCES UN DROIT À L'IRRITABILITÉ !..

ELLE ÉTAIT INCISIVE.. ELLE AVAIT BESOIN DE PARLER ET DE FAIRE PARLER...

C'EST PARCE QUE TU TE SÉPARAIS DE TA COPINE ?..
...
C'EST ÇA ?..

ELLE ADORE ÇA, ÇA L'AMUSE ... ET J'ÉTAIS UNE PROIE FACILE ET SOURIANTE...

MM.. PROBABLEMENT..

ENTRE AUTRES..

toujours au courant de tout, HEIN ?
...

JE POSE DES MICROS..
..

ELLE ÉTAIT FRÊLE ET PÂLE.. PLUS BELLE QUE JAMAIS...

27.

ET TOI.. POURQUOI TU TE RETROUVES SEULE SUR CE CANAPÉ COMME SUR UN RADEAU ?
..

AVEC LA SCÈNE DE MÉNAGE QUI L'AVAIT FAIT MONTER D'UN ÉTAGE, ELLE AVAIT MIS UN TERME DÉFINITIF À SON MARIAGE.. LA FIN D'UN LONG PROCESSUS...

DURANT QUELQUES MINUTES, TOUS LES GENS PRÉSENTS SE FIRENT INVISIBLES ET MUETS...

AUREVOIR..
...
MERCI..
..

ÇA RESSEMBLAIT À UNE MÉCANIQUE HUILÉE, PARFAITEMENT RYTHMÉE .. CLIC CLAC .. CLIC CLAC .. PAS DE MALAISES .. AU PIRE, DES SILENCES NATURELS ..

ON S'EST REVUS PEU DE TEMPS APRÈS, DANS UN BISTROT .. DIFFICILE DE DIRE SI C'ÉTAIT UNE HISTOIRE DE HASARD OU DE MÉCANIQUE, À CE STADE-LÀ ...

PLIC   PLIC

SORTIE... CINÉMA... UN FILM GLAUQUE... ATOM EGOYAN , JE CROIS...

DISCUSSIONS... PROVOCATIONS... ALLUSIONS... CLIC... CLAC ..CLIC..CLAC..

.. ET, COMME IL FALLAIT BIEN QUE TOUT ÇA MÈNE À QUELQUE PART ; REPAS INTIME CHEZ MOI..

32.

J'AI ACCORDÉ UNE SECONDE DE VIE, DANS MA TÊTE ET MON COEUR, À TOUS LES SENTIMENTS LES PLUS EXTRÊMES..

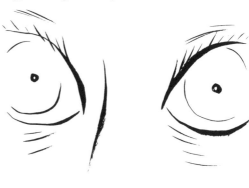

CLIC...

CLAC...

CLIC...

LA PARTITION REPRIT TRÈS VITE, MÊME SI LES INSTRUMENTS RESTÈRENT DÉSACCORDÉS UN MOMENT...

NOM DE DIEU J'AI L'IMPRESSION QUE MA VIE VIENT DE RECOMMENCER... OU QU'ELLE VIENT DE CHANGER À JAMAIS.. JE NE SAIS PAS...

J'AI JOUÉ LE MEC QUI ASSURE, QUI GÈRE, QUI SAIT OÙ IL MET LES PIEDS...

TU VEUX QUE JE M'EN AILLE...

..JE..JE.. VAIS PARTIR, JE CROIS..

TSS.. T'ES FOLLE OU QUOI? ...

JE ME SUIS DRESSÉ COMME UN PHARE.. POUR ELLE ET PARCE QUE JE SAVAIS QUE ÇA MARCHERAIT ENTRE NOUS...

RESTE!.. JE VEUX QUE TU RESTES...

JE VEUX QUE TU PASSES LA NUIT ICI...

..MAIS EN RÉALITÉ, J'ÉTAIS COMME UN GAMIN DÉCONTENANCÉ...

DE TOUTE MANIÈRE, SI TU M'AS DIT ÇA, C'EST BIEN QUE TU AVAIS UNE IDÉE DERRIÈRE LA TÊTE ?...

..FIGÉ DEVANT LA PORTE DE SA CLASSE, LE PREMIER JOUR D'ÉCOLE...

... C'EST TOI QUI ME DEMANDE DE PASSER LA NUIT ICI, NON ?..

LA NUIT FUT LONGUE, HÉSITANTE, TENDRE MAIS PAS FRANCHEMENT SEXUELLE..

LE LENDEMAIN, ELLE PARTIT TÔT...

À MIDI, MA CUISINE SE REMPLIT DE GENS.. C'ÉTAIT LE POINT DE RENDEZ-VOUS GÉNÉRAL..
JE PARTAIS QUATRE JOURS À ANGOULÊME..

ARRÊTE DE GIGOTER..
...

MM..

JE.. JE SAIS PAS..
...

CHLIK

... ON EN A DÉJÀ PARLÉ CENT FOIS..

JE .. C'EST PAS FORCÉMENT NÉCESSAIRE
...

CHLIK

..DE TOUTE FAÇON, ON NE DÉFINIT PAS UNE PERSONNE EN FONCTION DE SES MALADIES ... ILS TE CONNAISSENT..ILS T'APPRÉCIENT, C'EST LE PRINCIPAL..

.. PAS BESOIN DE SAVOIR SI T'ES DIABÉTIQUE OU SI T'AS DES MYCOSES AUX PIEDS !..

..FF.. TOUJOURS CET ARGUMENT BIDON !..

C'EST PAS HONNÊTE ENVERS EUX
...

CHLIK
CHLIK

OUI, MAIS.. C'EST PAS LEUR GÉNÉRATION!
...

JE VEUX DIRE.. HIV... SIDA .... SOCIALEMENT, C'EST CHARGÉ..

ÇA FAIT PEUR..

C'EST TOI QUI AS PEUR.. QU'ILS RÉAGISSENT MAL
...

MAIS NON .. ..ILS COMPRENDRAIENT ...À LA LONGUE ..
...
MON PÈRE.. EN TOUT CAS..

HUM.. JE CROIS
...

41.

44.

FRED 02.01 45.

AUJOURD'HUI, LUNDI 12 FÉVRIER, 21H03...

JE SUIS À L'HÔPITAL POUR ENFANTS, POUR RENDRE VISITE À CATI ET AU PETIT... JE N'AIME PAS LES HÔPITAUX...

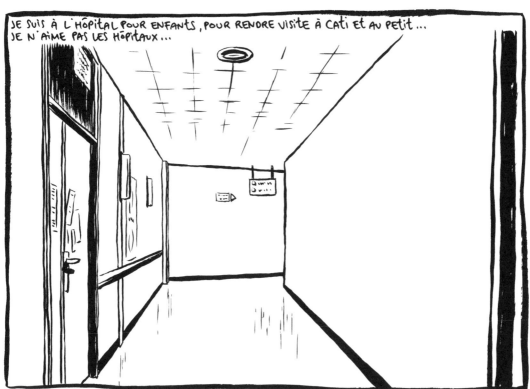

LE PREMIER VRAI SOUVENIR DE MA VIE, LE PREMIER QUI SURGIT QUAND JE JETTE UN REGARD VAGUE ET LOINTAIN EN ARRIÈRE, EST LIÉ À UN HÔPITAL...

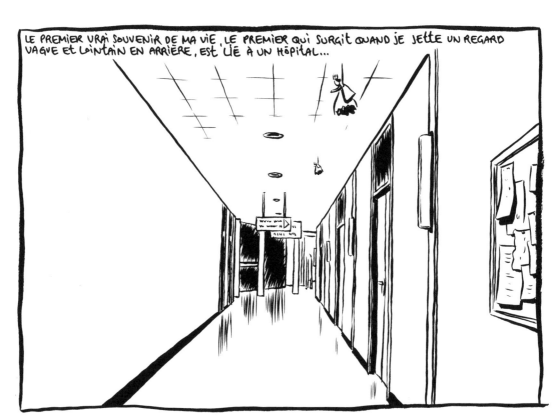

..QUAND JE ME SUIS FAIT OPÉRER D'UNE HERNIE À L'ÂGE DE 4 ANS ..JE ME RAPPELLE DES SIX MAINS QUI ME TENAIENT AU MOMENT DE LA PIQÛRE, ET DE L'HORRIBLE PETITE VOITURE DORÉE QU'ON M'A FOURGUÉE AU RÉVEIL...

48.

AUJOURD'HUI, LE PETIT VIENT D'AVOIR QUATRE ANS ... LES COULOIRS SENTENT LE VIEUX FORMOL, LE MOBILIER DOIT DATER DE L'ÈRE SOVIÉTIQUE, LES RIDEAUX SONT ORANGE SALE, LES INFIRMIÈRES SONT LAIDES ET GENTILLES...

CATI ET LUI SONT ARRIVÉS À 18H00 .. ILS VONT PASSER LA NUIT DANS CETTE CHAMBRE, ET VONT REPARTIR VERS 18H00 LE LENDEMAIN...

ÉVIDEMMENT, CE N'EST RIEN DE GRAVE .. ILS DOIVENT L'OPÉRER DES DENTS, PARCE QU'IL A PLEIN DE "CARIES DE BIBERON".. DEMAIN MATIN, SOUS NARCOSE TOTALE ...

49.

MÊME SI DEPUIS LE PREMIER JOUR J'ADMIRE CATI POUR LA MANIÈRE DONT ELLE GÈRE CE GENRE DE SITUATIONS, JE VOIS QU'ELLE N'EST PAS COMPLÈTEMENT À L'AISE..
ELLE A DU RÉPONDRE A PLEIN DE QUESTIONS DE ROUTINE SUR LE HIV DE SON FILS...

MOI-MÊME, ÇA ME FAIT BIZARRE DE LE VOIR SUR UN LIT D'HÔPITAL..JE NE PEUX M'EMPÊCHER DE PENSER QU'IL EST INDISSOCIABLEMENT LIÉ AU MILIEU MÉDICAL, QU'IL A VÉCU ET QU'IL VIVRA JUSQU'AU BOUT EN MALADE LATENT...

JE TROUVE TOUJOURS FASCINANTES LA CONFIANCE ET LA FACILITÉ AVEC LESQUELLES LA PROPRIÉTÉ DE LA VIE DE CERTAINS INDIVIDUS SE RETROUVE TRANSFÉRÉE DANS LES MAINS DE PERSONNES TOTALEMENT ÉTRANGÈRES, UNIQUEMENT LÉGITIMÉES PAR LEUR SAVOIR SCIENTIFIQUE..
..SURTOUT EN L'ABSENCE DE CHOIX ...

LUI, EN TOUT CAS, EST FAMILIER AVEC TOUT CET ENVIRONNEMENT DEPUIS LONGTEMPS...

IL REGARDE DUMBO.. IL MANGE SON HAPPY MEAL.. TRANQUILLE.. PAISIBLE..

.JE VAIS JUSTE AUX TOILETTES ...

JE REVIENS ...

MAMAAAAN!..

J'ARRIVE!. ...

LE PREMIER CONTACT ENTRE LUI ET MOI S'EST ÉTABLI IL Y A UN AN ENVIRON .. ET JUSTEMENT, TOUT A COMMENCÉ PAR UNE QUESTION ÉLÉMENTAIRE...

CATI CHERCHAIT UN APPARTEMENT .. ELLE LOGEAIT CHEZ UN AMI ABSENT .. IL ÉTAIT PRÉVU QUE J'Y PASSE LA SOIRÉE .. QUE JE PRÉPARE DES SPAGHETTI BOLOGNAISE ...

JUSQUE-LÀ, JE N'AVAIS JAMAIS ÉTÉ TRÈS SENSIBLE AUX GAMINS!

JE FONCTIONNAIS AVEC EUX COMME AVEC LES ADULTES.. AU CHARME.. AU CARACTÈRE..

JE PARTAIS SUR UN PIED D'ÉGALITÉ, ET LA PLUPART M'IRRITAIT RAPIDEMENT...

ET IL EST APPARU, tout MALADE, AVEC SA PETITE TÊTE D'EXTRATERRESTRE.. JE CROYAIS QU'IL DORMAIT AU SALON...

SNF

58.

J'AI SU TRÈS TÔT QUE ÇA ALLAIT MARCHER.. MAIS À CE MOMENT-LÀ, JE NE SAVAIS PAS QUELLE FORME ÇA PRENDRAIT...

...D'AILLEURS MÊME AUJOURD'HUI...

..MM..NON.. BIZARREMENT..
...

JE GARDAIS TOUJOURS LE SOUVENIR D'UNE AGITATION BRUYANTE ... TU SAIS... GENRE CRIS DE DOULEUR ET APPELS À L'AIDE...

.. MAIS LÀ TOUT EST CALME..
...

JE ME SENS BIEN EN FAIT..
...

BON P'TIT LOUP.. ON VA BIENTÔT PRENDRE LES PASTILLES...

NAAAN!
..

JE CROIS QU'AU FOND JE ME LAISSE GUIDER PAR LUI ...

..QUAND DUMBO EST FINI... D'ACCORD?..
..

MM
..

JE LUI LAISSE FAIRE JOUJOU AVEC LE GOUVERNAIL, PAR PEUR DE LUI IMPOSER UNE VISION APPROXIMATIVE... ET EN FAIT, NOTRE RELATION ÉVOLUE AU GRÉ DES CIRCONSTANCES ET DE SES PROPRES INITIATIVES...

... COMME CET APRÈS-MIDI DE PRINTEMPS, OÙ L'APPARTEMENT DE CATI ÉTAIT PLEIN DE GENS ...

.. DES INCONNUS POUR LUI ...

HA HA

BLA BLA BLA

BLABLA ...

POUR LA PREMIÈRE FOIS, IL EST VENU LUI-MÊME SE COLLER À MOI..

...COMME DE RIEN...

J'AI SENTI QUE J'ÉTAIS DEVENU UNE ESPÈCE DE REPÈRE AFFECTIF DANS SA VIE...

C'ÉTAIT TOUCHANT... ANODIN ET LOURD DE SENS DANS LE MÊME TEMPS.

D'AUTRES FOIS, JE ME SUIS APERÇU QUE DANS SA TÊTE, LA SITUATION POUVAIT ÊTRE PLUS CONFUSE...

NOTAMMENT LES PREMIÈRES FOIS OÙ IL PASSAIT UNE JOURNÉE CHEZ SON PÈRE...

...ET QU'IL RENTRAIT LE SOIR CHEZ CATI...

..IL POUVAIT M'IGNORER COMPLÈTEMENT...

..ET MÊME AFFICHER UN CERTAIN MÉPRIS...

65.

JE ME RAPPELLE AUSSI LA PREMIÈRE FOIS QUE J'AI POUSSÉ UNE GUEULANTE...

ALLEZ!.. TU MANGES AU MOINS UN PETIT PEU!!..

NAAAN! ...

JE CROIS QU'IL FAISAIT UNE CRISE D'INSUBORDINATION, QU'IL POUSSAIT SA MÈRE À BOUT...

MOI J'VEUX R'GARDER LA TÉLÉ MOI!.. ...

OUIBIN SI ÇA CONTINUE TU VAS AU LIT ET JE LA JETTE, LA TÉLÉ! ...

BÂÂ.. J'VEUX PAS!.. J'AIME PAS LES SPÈTSLIS, MOI! ...

CLING

RÂÂ..REGARDE CE QUE TU AS FAIT!.. ..;;MERDE!.. ..,CHUIS FATIGUÉE, TU SAIS... ...JE VAIS VRAIMENT ME FÂCHER!.

66.

NÂN!
...

QUAND IL A FAIT MINE DE LA TAPER , JE ME SUIS LEVÉ D'UN BOND ...

ÉHO
Ç'EST QUOI
ÇA ?!!.
...

.. ET JE ME SUIS REGARDÉ AGIR ...

.. ALORS ÇA
C'EST PAS POSSIBLE !..

.. NOM DE
DIEU !.

.. HOP!
AU LIT !.
...

WAAAA!
...

.. ON TAPE
PAS LES GENS ..
T'ENTENDS ?!.
...

ÇA SE
PASSE PAS
COMME ÇA !
...

.. ET
SURTOUT
PAS TA
MAMAN !
...

.. CE SOIR TU
FAIS QUE DES
HISTOIRES !
...

WAAAA
..

.. MAMAN ELLE
EST GENTILLE
AVEC TOI .. ALORS
TU SORTIRAS DE TA
CHAMBRE QUAND TU
SERAS GENTIL AUSSI !

C'EST
COMPRIS ?!
....

JE SUIS RETOURNÉ DANS LA CUISINE, TÉTANISÉ DE PEUR....

..JE.. J'Y SUIS ALLÉ TROP FORT, HEIN?..

JE SAIS PAS.. JE.. JE CROIS PAS, NON...

..QUELQUES MINUTES PLUS TARD...

..IL REVENAIT TOUT DOCILE ET AFFECTUEUX..

NF..

J'AI LONGUEMENT RÉFLÉCHI AVEC CATI À CET ÉPISODE, QUI SE REPRODUIT DE TEMPS À AUTRE SELON LE MÊME SCHÉMA, ET JE CROIS QUE LE PETIT A BESOIN DE PROVOQUER UNE CRISE D'AUTORITÉ CHEZ MOI POUR MONTRER, À LUI-MÊME COMME À MOI, QUE CETTE PLACE-LÀ M'APPARTIENT ..QU'IL ME LA CÈDE...

MMM

POUR LE RESTE, NOUS LUI AVONS MAINTES FOIS EXPLIQUÉ COMMENT IL DEVAIT ME CONSIDÉRER ...

'FAUT PAS SE FÂCHER, TU SAIS ! ...

.. MOI J'AIME FRED.. C'EST MON HOMME .. C'EST POUR ÇA QU'ON FAIT DES CÂLINS ET QU'ON DORT DANS LE MÊME LIT, TU VOIS ?.

.. ET TOI, C'EST PAS LA MÊME CHOSE .. .. TOI, T'ES MON PETIT GARÇON .. .. C'EST UN AUTRE GRAND . AMOUR .. IL NE PRENDRA JAMAIS TA PLACE .. TU COMPRENDS? .. NI CELLE DE PAPA! ....

.. ET PATATI .. ET PATATA .. À CHAQUE FOIS QU'IL LE FAUT ...

.. À CHAQUE FOIS QU'ON SENT UNE INQUIÉTUDE POINDRE ...

LE SUJET A AUSSI PROVOQUÉ DE LONGUES DISCUSSIONS HOULEUSES ENTRE ELLE ET MOI..

OUI ! ÇA VA ! .."JE SAIS!" ...

QUOI QUOI?!.. JE TE DIS JUSTE QUE JE NE SUIS PAS SON PÈRE!..

C'EST PAS GRAVE!..

JE VEUX DIRE, C'EST UNE ÉVIDENCE!.. ..CETTE PLACE N'EST PAS LA MIENNE!.. UN PÈRE, IL EN A UN!.. TU N'Y CHANGERAS RIEN, ET LES DEUX Y ONT DROIT!..

JE SAIS JE SAIS ...

..MAIS J'AIME PAS ENTENDRE ÇA!.. JE DÉTESTE QUE TU SOULIGNES LES ERREURS QUE J'AI PU FAIRE! ...

... J'AIMERAIS TELLEMENT QUE... ... JE..JE M'EN VEUX TELLEMENT! ...

IL FAUT QUE TU COMPRENNES CATI,.. C'EST PAS TOUJOURS FACILE...

..À DÉFAUT DE SAVOIR COMMENT AGIR, LAISSE-MOI SAVOIR COMMENT NE PAS AGIR!.. ..

70.

... ET LAISSE-
LUI SON
PAPA !..

CATI SUPPORTE ENCORE MAL DE REGARDER SON PASSÉ EN FACE .. CE QUE JE COMPRENDS SANS AUCUNE PEINE ...

... ET LE PÈRE DU PETIT SERA TOUJOURS UNE AMARRE QU'ELLE NE POURRA PAS LARGUER, MÊME APRÈS LA PRONONCIATION DE SON DIVORCE ...

AUJOURD'HUI, JE SENS QUE LES CHOSES VONT BIEN, QUE LUI ET MOI NOUS ÉTABLISSONS UN LIEN STABLE,
MÊME S'IL RESTE TRIBUTAIRE DE NOS HUMEURS RESPECTIVES...

LE TEMPS FAIT SON ŒUVRE, LES HABITUDES
PRENNENT LEURS AISES...

VOILÀ..
MAINTENANT,
ON PREND VITE
LES PASTILLES..
...

..ET
DODO
HEIN!

TANTÔT JE SUIS SUJET À DES BOUFFÉES
D'ÉMERVEILLEMENT ET DE TENDRESSE...

..TANTÔT JE REDOUTE GENTIMENT LE PREMIER "FOUS-MOI LA PAIX T'ES PAS MON PÈRE!"...

ALLEZ.. ..PAS D'HISTOIRES! ...

CRRUNCH ...

..MAIS EN GROS, JE PRENDS DE L'ASSURANCE DANS CE RÔLE, PARFOIS FLOU, DE GRAND MÂLE DE LA MEUTE...

.....TOUTE PETITE MEUTE...

..ENCORE? ...

MM.. ENCORE DEUX! ...

..À TEL POINT QUE MAINTENANT, LA SEULE CHOSE QUI PUISSE DÉCLENCHER UNE RÉELLE ANGOISSE.....

... C'EST L'IDÉE DE SA MORT ...

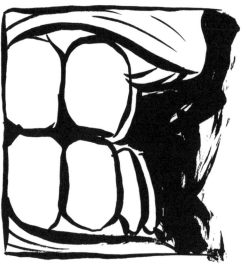

UN JOUR CATI M'A DIT QUE, DE TOUTE SON EXISTENCE, CE QU'ELLE AVAIT VÉCU DE PIRE ÉTAIT LA DÉCOUVERTE DE LA SÉROPOSITIVITÉ DE SON FILS ....

... ET LE MOMENT OÙ IL DUT COMMENCER SA TRITHÉRAPIE...

DEPUIS QUELQUES TEMPS, CATI ET LUI SONT SUIVIS MÉDICALEMENT.. TOUS LES TROIS MOIS, UNE PRISE DE SANG PERMET DE MESURER L'ÉVOLUTION DU VIRUS ET LEUR ÉTAT DE SANTÉ.. UN LAPS DE TEMPS SUFFISANT POUR AGIR EN CAS DE DÉGRADATION...

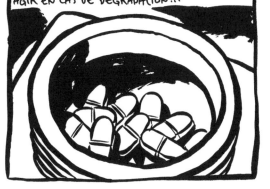

LE PETIT A TOUJOURS ÉTÉ FRAGILE ET SUJET À DES MALADIES DIVERSES.. MAIS AU PRINTEMPS 2000, LA SITUATION DEVINT PRÉOCCUPANTE ET LES ANALYSES MONTRÈRENT QUE LE VIRUS S'ÉTAIT EFFECTIVEMENT RÉVEILLÉ ET AVAIT ENTAMÉ UNE MULTIPLICATION GALOPANTE...

INÉVITABLEMENT, LA DÉCISION FUT DONC PRISE DE COMMENCER UN TRAITEMENT LOURD... CATI EN FUT ANÉANTIE...

D'ABORD, LA NOUVELLE LA PLONGEA DANS DES ABÎMES DE CULPABILITÉ.. DE SON POINT DE VUE, ELLE ÉTAIT RESPONSABLE DE LA CONTAMINATION DE SON FILS, ET ELLE MÉRITAIT DONC DE TOMBER MALADE AVANT LUI, VOIRE, D'UNE MANIÈRE PLUS SYMBO-LIQUE, DE MOURIR POUR QU'IL PUISSE VIVRE PLUS LONGTEMPS...

..ET ENSUITE, LES EFFETS SECONDAIRES DE CES TRAITEMENTS TRÈS VIOLENTS, DÉJÀ MAL MAÎTRISÉS POUR LES ADULTES, DEVIENNENT CARRÉMENT ALÉATOIRES QUANT IL S'AGIT D'UN ENFANT DE TROIS ANS, SURTOUT EN TERMES D'ANNÉES OU DE DIZAINES D'ANNÉES.

SAUF DÉCOUVERTE SCIENTIFIQUE, CET ENFANT SERA PLONGÉ JUSQU'À LA FIN DE SA VIE DANS UNE SORTE DE TOXICOMANIE VITALE, SOUS L'ADMINISTRATION DE SA MAMAN... PAS DE CHOIX POSSIBLE, RIEN QUE DES PEURS ET DES QUESTIONS...

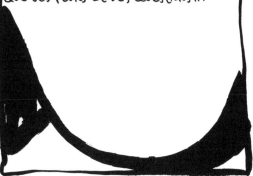

LE DÉBUT DE LA TRITHÉRAPIE ÉTAIT PROGRAMMÉ POUR AOÛT 2000 .. POUR QUE LA PREMIÈRE FOIS SE
DÉROULE DANS UN CLIMAT AUSSI DÉTENDU QUE POSSIBLE, NOUS AVONS DONC DÉCIDÉ DE PARTIR
UNE SEMAINE À VINASSAN .., PRÈS DE NARBONNE, DANS LA MAISON DES PARENTS DE CATI...

SOLEIL, MER, SIESTE, BOUFFÉ...

TRANQUILLES....

AAA.. PÀSIBLE, HEIN?

AA.. PÀISIB.. ...

..ÇA C'EST QUOI ÇA? ...

..DES ESCARGOTS.. ..

ET Y SONT MORTS LES ESCARGOTS? ...

NOON!.. ILS NE SONT PAS MORTS! ..ILS SONT LENTS..

77.

LES CHOSES SE PASSAIENT BIEN...

..MÊME SI JE SENTAIS QU'ELLE DISSIMULAIT UN PEU LE CHAOS DERRIÈRE LA VITRINE DE NOËL...

.... ELLE SE DÉCIDA POUR LE MILIEU DE LA SEMAINE, À LA FIN DU REPAS DU SOIR...

À CETTE ÉPOQUE, IL FALLAIT MÉLANGER UN SACHET DE POUDRE (GENRE SACHET DE SUCRE) DANS UN YOGHOURT, ET PRENDRE DEUX SIROPS, LE TOUT MATIN ET SOIR...

ÇA C'EST QUOI ÇA ? ...

LES SIROPS PASSAIENT TOUT SEUL, MAIS LA POUDRE DONNAIT AU YOGHOURT UN AIR DE VIEUX CIMENT ÂCRE ET RANCE...

.. C'EST DE LA POUDRE... ..COMME DE LA POUDRE MAGIQUE UN PEU...

C'EST POUR MOI ?! ..

OUVRE LA BOUCHE ...

BAAA! ..

PAS BON! ..

.. JE SAIS, P'TIT LOUP.. MAIS C'EST OBLIGÉ.. C'EST COMME ÇA.. ...

POURQUOI? ...

PARCE QUE.. EE.. TON SANG.. IL Y A DES CHOSES PAS GENTILLES DANS TON SANG.. ET LA POUDRE C'EST COMME DES PETITS SOLDATS.. TU VOIS ?. C'EST POUR TE DÉFENDRE.. ....

MATIN ET SOIR, LE COMBAT ÉTAIT CONSTANT, MALGRÉ LES EXPLICATIONS DE CATI...

OUI MAIS C'EST PAS BON !...

MAIS JE CROIS QUE LE COMBAT LE PLUS DUR SE DÉROULAIT DANS SA TÊTE À ELLE...

ALLEZ.. ...

JE NE PARLE SURTOUT PAS DE FASCINATION, OU DE VÉNÉRATION, MAIS DE CETTE ADMIRATION QUI INSPIRE LE RESPECT...

COMME QUAND QUELQU'UN ACCOMPLIT QUELQUE CHOSE DONT ON RECONNAÎT, AVEC UNE MOUE DE LA BOUCHE ET UN HOCHEMENT DE TÊTE, QU'ON EN SERAIT SOI-MÊME INCAPABLE...

"VIENS LÀ!"

...DE CETTE ADMIRATION QUI DONNE DE LA JOIE ET L'ENVIE D'OFFRIR SON AIDE...

À LA LONGUE, J'AI RÉUSSI À ME DÉBARRASSER DÉFINITIVEMENT DE LA MOINDRE TRACE DE CETTE PITIÉ QUE JE TRIMBALAIS COMME UN CAILLOU DANS MA CHAUSSURE...

85.

DEPUIS, LA POUDRE INFÂME A ÉTÉ AVANTAGEUSEMENT REMPLACÉE PAR DES PILULES.. HUIT MOIS APRÈS, LES EFFETS SECONDAIRES SE LIMITENT À DES DIARRHÉES, ET LE VIRUS A ÉTÉ TOTALEMENT ASSOMMÉ..

PILULES ET SIROPS, CHAQUE REPAS SE TERMINE DE LA MÊME MANIÈRE.. TOUT ÇA FAIT MAINTENANT PARTIE DE LA VIE DU PETIT..

IL RECHIGNE POUR LE PRINCIPE, MAIS L'A BIEN INTÉGRÉ.. JE CROIS QU'IL SAIT QUE ÇA NE S'ARRÊTERA PAS, OU ALORS QU'IL NE SE POSE PAS LA QUESTION..

RZZ

DES FOIS JE ME DEMANDE À QUOI RESSEMBLERA SA VIE.. SON ADOLESCENCE...

...COMMENT IL ASSUMERA SA PETITE DIFFÉRENCE .. SA RELATION AUX AUTRES..

..SES AMOURS, SA SEXUALITÉ...

..EST-CE QU'IL AURA DES JOIES, DES PROJETS ?..
... EST-CE QUE ...

..tsstss.. JE QUESTIONNE L'AVENIR À NOUVEAU..
MOI QUI DÉTESTE LE CONCEPT DE DESTINÉE..
..JE DOIS ÊTRE VRAIMENT CREVÉ...

... PENSER À MAINTENANT .. PENSER À MOI .. PENSER À EUX ...

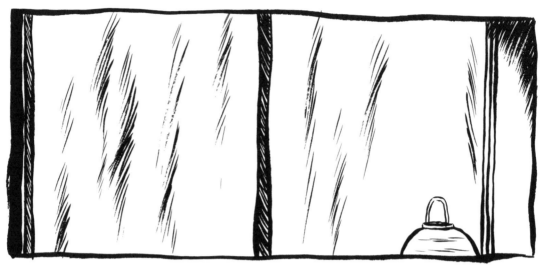

94.

99.

C'EST FOU LA RICHESSE DE CES CABINETS DE MÉDECIN.. TOUT UN ÉTAGE D'UN IMMEUBLE DU 18e SIÈCLE, EN PLEIN MILIEU DES VIEUX QUARTIERS.. PARFAITEMENT RÉNOVÉ...

CHEMINÉE EN MARBRE DANS CHAQUE PIÈCE.. VUE IMPRENABLE SUR CE QUE LA VILLE A DE PLUS BEAU...

DIRE QU'ON PARQUE DES FAMILLES DANS DES APPARTEMENTS SINISTRES ET MINUSCULES..

..MM.. PENSÉE STÉRILE...

JE NE SAIS POURQUOI J'AI TOUJOURS ÉTÉ MÉFIANT ENVERS LES MÉDECINS.. J'AI BIEN DÛ EN FRÉQUENTER UN OU DEUX QUI ÉTAIENT FLEMMARDS OU ANTIPATHIQUES, MAIS ÇA N'EXPLIQUE RIEN. JE CROIS QUE C'EST UNE HISTOIRE DE POUVOIR...

LES GENS SE METTENT SOUVENT EN POSITION D'ATTENTE ET D'ESPOIR PAR RAPPORT AUX MÉDECINS.. CEUX-CI JOUISSENT D'UNE AURA PARTICULIÈRE.. PROBABLEMENT PARCE QUE L'ON PLACE SOUS LEUR RESPONSABILITÉ UNE PARTIE DE NOTRE VIE, ET QU'ILS ONT L'AVANTAGE DE NOUS VOIR SOUS UN ANGLE AUQUEL NOUS N'AVONS NOUS-MÊMES PAS ACCÈS...

CERTAINS SE DRAPENT FACILEMENT DANS UNE SORTE D'ARROGANCE DÉTACHÉE, D'AUTRES SE CACHENT DERRIÈRE UN EXCÈS DE SOLLICITUDE QUI CONFINE À L'HYPOCRISIE...

MADAME ZIMMERMANN.. ....

"UMPF"

CELUI-LÀ M'EST ÉMINEMMENT SYMPATHIQUE... IL NE SE PREND PAS AU SÉRIEUX, IL A SES HUMEURS...
JE LE TROUVE HUMAIN.. ET JE CROIS QUE CATI ET MOI, NOUS LUI DEVONS BEAUCOUP...

LES TOUTES PREMIÈRES FOIS OÙ NOUS FÎMES L'AMOUR FURENT TRÈS ÉTRANGES...

AU MOMENT OÙ NOS CHEMINS SE CROISÈRENT, CATI NE POUVAIT CONCEVOIR SA VIE SEXUELLE À VENIR QUE DANS UNE RELATIVE MÉDIOCRITÉ.. ELLE CONSIDÉRAIT QUE LE VIRUS LA RENDRAIT SALE ET DANGEREUSE, QU'IL POLLUERAIT LE MOINDRE AMOUR OU DÉSIR QU'ELLE POURRAIT ÉPROUVER...

POUR MA PART, JE TRAVERSAIS UNE PÉRIODE TRANSITOIRE ET UN PEU VASEUSE, OÙ JE ME DISAIS QUE J'ALLAIS HYPOTHÉQUER UN MOMENT MA RELATION AUX FEMMES.. QUE JE DEVAIS ME RASSEMBLER AVANT TOUT...

MALGRÉ CELA, NOUS DEVIONS FAIRE FACE À L'ÉVIDENCE D'UNE FOLLE ATTIRANCE RÉCIPROQUE ...LA MISE EN ROUTE FUT DOUCE ET HÉSITANTE...

L'ATTITUDE SURPRISE ET ATTENTISTE DE CATI ME METTAIT DANS UNE SITUATION DE DOMINATION INCONTESTABLE.. ELLE M'OFFRAIT, OU PLUTÔT M'IMPOSAIT, UNE PLACE DE MÂLE OMNIPOTENT, QUI NE M'AVAIT JAMAIS SEMBLÉ ÉVIDENTE JUSQUE-LÀ DANS MA VIE...

CE SCHÉMA SE MIT EN PLACE TRÈS RAPIDEMENT ET S'IMPOSA COMME UN MOYEN IDÉAL POUR ELLE DE RÉVEILLER SA FÉMINITÉ...

...ET POUR MOI DE REPRENDRE DE L'ASSURANCE.

STEVE Mc QUEEN

ULLITT"

RT VAUGHN

ELINE BISSET

À UN NIVEAU ESSENTIEL, INSTINCTIF, JE CROIS QUE NOUS AVONS SENTI TOUT DE SUITE QUE NOUS ALLIONS NOUS ENTENDRE ET NOUS ÉPANOUIR DANS LE SEXE.. À TEL POINT QUE J'AI CRU UN MOMENT QUE NOTRE RELATION NE SERAIT QUE SEXUELLE...

STEVE Mc QUEEN

BULLIT

SEULEMENT VOILÀ, IL RESTAIT UNE GIGANTESQUE ZONE D'OMBRE, UN BROUILLARD ÉPAIS, DANS MA TÊTE TOUT AU MOINS.. ET DONC ENTRE NOUS...

...LA CONTAMINATION...

..NOUS N'ÉTIONS RÉELLEMENT SÛRS QUE D'UNE CHOSE...

MADAME!
...

MONSIEUR!
...

VOUS ÊTES CONDAMNÉS!
...

...:À LA CAPOTE À PERPÉTUITÉ!
...

POUR LE RESTE, NOUS DEVIONS FAIRE CONFIANCE À NOTRE ÉDUCATION ET À QUELQUES BROCHURES...

AUTANT DIRE DES APPROXIMATIONS, QUI SUSCITAIENT AUTANT DE DOUTES ET DE QUESTIONS ÉLÉMENTAIRES...

COMME SI NOUS DEVIONS FAIRE L'AMOUR AVEC DES CAMISOLES, EN RÉFLÉCHISSANT, EN TÂTONNANT...

LA VIE NOUS DONNA ALORS LE MEILLEUR DES COUPS DE POUCE...

EN FORME DE BONNE CLAQUE DANS LA GUEULE..

MEEERDE!
....

AU TROISIÈME RAPPORT, LA CAPOTE SE ROMPIT...

QUOI QUOI ?!
...
NE ME DIS PAS QUE..

MERDE!
..

MERDE MERDE!
..

MERDE!
..

MERDE!
..

QU'EST-CE QUE... QU'EST-CE QU'IL FAUT FAIRE ?
...

..JE..JE SAIS PAS.. ..JE..VA TE LAVER !..VA TE LAVER LA BITE !..VITE !..
...

OUI MAIS
...

VA! J'APPELLE LE DOCTEUR!
...

108.

LE LENDEMAIN MATIN NE FUT QU'UNE ATTENTE, QU'UN LONG COULOIR SOMBRE, MENANT INÉLUCTABLEMENT À LA PORTE DU CABINET ... CHEZ LE DOCTEUR R.

AU TÉLÉPHONE, IL AVAIT DIT À CATI DE NE PAS PANIQUER, QUE ÇA POUVAIT SE PRODUIRE...
.. ET BLABLA.. ET BLABLABLA...

JUSTE AVANT D'ENTRER, JE ME DEMANDAI CE QU'EXPRIMERAIT SON PREMIER REGARD..

CE FUT L'APAISEMENT ET LA DÉCONTRACTION..

ALORS, MONSIEUR PEETERS..
...

..ON SE FAIT DU SOUCIS ?
...

HAHA
...

CLIC

BIN.. EEE...

LÉGITIMEMENT
....

HUM
...

QU'EST-CE QUE VOUS FAITES DANS LA VIE ?..

MONSIEUR PEETERS ?
...

115.

M6.

EH BIEN.. PARFAIT!
...

INTACT!
...

..BIEN ..JE VAIS VOUS EXPLIQUER UNE CHOSE .. LE HIV NE S'ATTRAPE PAS COMME LA GRIPPE, COMPRENEZ.. CETTE SALOPERIE EST BIEN PLUS SOPHISTIQUÉE..
...

TOUT D'ABORD, LE VIRUS SE CONCENTRE FORTEMENT DANS LE SANG, ET DANS LE SPERME
...

..DE CE CÔTÉ-LÀ PAS DE PROBLÈMES POUR VOUS ..

HAHA..
...

ON EN TROUVE ENSUITE BEAUCOUP DANS LES SÉCRÉTIONS VAGINALES DE MADAME..

..ET PUIS UNE QUANTITÉ INFIME DANS SA SALIVE.. MAIS PAS DE QUOI PERMETTRE UNE CONTAMINATION.
....

118.

HUM.. BIEN.. VOUS N'ÊTES PAS RASSURÉS... JE COMPRENDS.. ...

ON VA FAIRE UNE PETITE VIRÉMIE... VOUS SEREZ FIXÉS DANS DEUX TROIS JOURS...

DEUX TROIS JOURS ?!... MAIS JE CROYAIS QU'IL FALLAIT ATTENDRE TROIS MOIS... ...

..POUR LE TEST BON MARCHÉ !.. ...

..AVEC LA VIRÉMIE, IL SUFFIT DE QUELQUES HEURES !.. NE L'ÉBRUITEZ D'AILLEURS PAS TROP !.. NOUS GARDONS ÇA POUR LES CAS EXTRÊMES...

..À 250 BALLES LE TEST... COMPRENEZ ...

..ET SI C'EST POSITIF ? ...

RHINOCÉROS MONSIEUR PEETERS.. ...

RHINOCÉROS ...

OUI MAIS.. ..

..SI C'EST POSITIF, NOUS POUVONS VOUS ADMINISTRER UNE TRITHÉRAPIE LOURDE PENDANT UN MOIS...

123.

EN SORTANT DU CABINET, JE ME SENTAIS ÉBRANLÉ...

ON M'AVAIT EFFECTIVEMENT OUVERT LES PORTES D'UN MONDE INSOUPÇONNÉ, DÉTACHÉ DES CLICHÉS SOCIAUX ET DES HISTOIRES SENSATIONNELLES...

MADAME CORDOBA !
...

UN MONDE DÉNUÉ DE JUGEMENTS HÂTIFS, QUI TRANSFORME LES DRAMES EN EXPÉRIENCES...

JE ME SENTAIS ÉBRANLÉ MAIS LÉGER...

QUANT À CATI, ÉCHAUDÉE PAR SES HISTOIRES PASSÉES, ELLE PRÉFÉRAIT ATTENDRE LES RÉSULTATS DÉFINITIFS...

QUAND LA BONNE NOUVELLE ATTENDUE ARRIVA, CE FUT LA LIBÉRATION...

NON PAS QUE NOUS AYONS DU COUPLE DROIT DE TOUT FAIRE, MAIS LES RÈGLES ÉTAIENT MAINTENANT DÉFINIES...

NOUS POUVIONS JOUER FRANC JEU, SUR UN TERRAIN SANS LIMITES... IL Y AVAIT JUSTE UN ARBITRE, C'EST TOUT...

..MM.. GRR..

J'ADORE COMME TU SENS..

TU SENS LE SEXE À PLEIN CORTEX.. ..

EN FAIT, C'EST BIZARRE, MAIS L'USAGE DE LA CAPOTE POUR LA PÉNÉTRATION, SEULE CONTRAINTE RÉELLE, S'EST MUÉ EN UNE SORTE DE RITUEL CODÉ, TANTÔT COMIQUE, TANTÔT TENDRE OU RAGEUR ... PRESQUE RELIGIEUX .. UN PEU COMME LES MUSULMANS QUI ÔTENT LEURS CHAUSSURES À L'ENTRÉE DE LEUR MAISON...

ET LE FAIT D'AVOIR UNE FIGURE IMPOSÉE A FAIT VOLER EN ÉCLATS TOUTES LES AUTRES BARRIÈRES.. NOUS ÉTIONS À PRÉSENT CONDAMNÉS À ESSAYER TOUT CE À QUOI NOUS POUVIONS AVOIR DROIT...

CE FUT MÊME L'OCCASION D'UN VOYAGE "EN AMOUREUX"...

..AU PAYS DU GOUDA..

WOAH! REGARDE CELUI-LA..Y Z'ONT MÊME MOULÉ LES VEINES..

MM.. GLAUQUE ...

À PART CELA, NOUS NOUS SOMMES IMPOSÉS AUTOMATIQUEMENT UNE PETITE DISCIPLINE D'ENTRETIEN ET D'OBSERVATION DE NOS CORPS..

CRUNCH .. SLURP..

PANSER LES COUPURES.. ARRÊTER DE SE BOUFFER LES PEAUX DES DOIGTS.. GARDER LES MUQUEUSES À L'ŒIL.. TOUT CELA EST ENTRÉ DANS LA ROUTINE...

TSS ! TSS ! ...

HUM ..

DANS CET EXERCICE, CATI FAIT PREUVE D'AUTANT DE ZÈLE QUE, PARFOIS, DE LASSITUDE ... IL ARRIVE EN EFFET, SUIVANT SES ÉTATS D'ÂME, DE FATIGUE, OU LA DENSITÉ DES DIFFICULTÉS DANS SA VIE, QUE LA ROUTINE LUI PÈSE ...

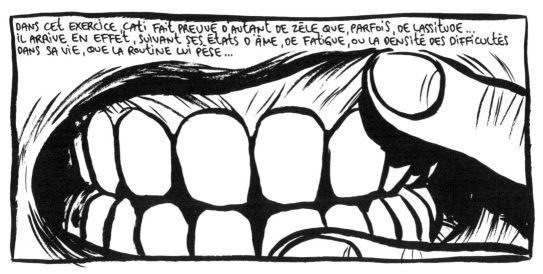

ET JE COMPRENDS QUE L'ON PUISSE ÉPISODIQUEMENT TROUVER ÉPROUVANT DE REGARDER TOUS LES JOURS SA MALADIE DANS UN MIROIR..

129.

QUAND JE REGARDE EN ARRIÈRE, J'AI L'IMPRESSION D'UN BONHEUR ET D'UN PLAISIR DIFFUS ET PERMANENTS. MAIS JE SAIS QUE C'EST À CAUSE DU MOUVEMENT, DE LA DENSITÉ DES ENCHAÎNEMENTS DE MOMENTS LOURDS ET LÉGERS...

JE SAIS QUE CE QUE CETTE RELATION A DE PLUS PAR RAPPORT AUX PRÉCÉDENTES, C'EST QU'ELLE VIT, QU'ELLE NOUS PORTE, QU'ELLE NOUS IMPOSE SON RYTHME IMPRÉVISIBLE, SANS S'ESSOUFFLER.

DANS CES PREMIERS MOIS, NOUS NOUS SENTIONS SOUVENT INVINCIBLES, DÉCONNECTÉS DES CONTINGENCES BIOLOGIQUES...

...UNIS DANS L'IDÉE QUE L'AMOUR ET LE PLAISIR NOUS PERMETTRAIENT DE RÉSISTER À TOUT...

MAIS JE ME RAPPELLE QU'IL ARRIVAIT AUSSI À CATI DE SE CONFONDRE AVEC LE VIRUS.. SES RAPPORTS À LA MALADIE ÉTAIENT TRÈS INSTABLES ET CONFLICTUELS...

.. ELLE POUVAIT SE VOIR COMME UNE ENTITÉ À PART ENTIÈRE, COMME LA MALADIE ELLE-MÊME, DANS TOUTE SA DANGEROSITÉ...

DE MON CÔTÉ, JE ME RAPPELLE DE VISIONS FILANTES...

... DE SENTIMENTS FULGURANTS...

.. DE REJET, DE COLÈRE, D'ENVIE DE PUNITION..

DES QUESTIONS : "Y A-T-IL UN RAPPORT MALSAIN ENTRE SA MALADIE ET MON DÉSIR POUR ELLE ?.."
..."AUTODESTRUCTION INCONSCIENTE ?"...

JE N'EN PARLAIS PAS...

JE ME DISAIS QUE MON ESPRIT FAISAIT UN TRAVAIL DE SÉLECTION...UNE SÉRIE DE TESTS SUR LUI-MÊME...

RRZZZ..
...

tout cela est bien loin...

SOUPIR

ZZ..

NATIONAL GEOGRAPHIC

QUELQUES TEMPS APRÈS, JE REPRIS UN RENDEZ-VOUS AVEC LE DOCTEUR R. ...

134.

... SEUL, CETTE FOIS ...

JE M'ÉTAIS PROFONDÉMENT ENTAILLÉ LE POUCE..
J'AVAIS RETIRÉ LE PANSEMENT APRÈS UN BAIN..
J'AVAIS PENSÉ À AUTRE CHOSE, PUIS, À LA SUITE
D'UNE PARTIE DE JAMBES EN L'AIR, J'AVAIS
TOUCHÉ AVEC LA PLAIE L'EXTÉRIEUR DE LA
CAPOTE ...

COURTE PANIQUE, PRISES DE TÊTE...
TEMPORISATION...

LE RENDEZ-VOUS MARQUA UNE SECONDE
ÉTAPE IMPORTANTE..

CLIC

BLABLA DE RIGUEUR.. RHINOCÉROS.. TEMPS DE
SURVIE DU VIRUS À L'AIR LIBRE.. PRISE DE
SANG.. NOUVELLE VIRÉMIE...BLABLABLA ...

CLIC
CLIC

..ET PUIS FINALEMENT ...

C'EST UNE FILLE BIEN.. VOUS SAVEZ.. ...

UNE FILLE CHARMANTE.. ....

PARDON? ...

VOTRE AMIE...

AH! ..

... JE SAIS, OUI..

VOUS AVEZ DE LA CHANCE... LES DEUX!. ..

MM ..

C'EST PAS FACILE TOUS LES JOURS ..

MAIS JE NE L'OUBLIE PAS..

HUM.. N'ALLEZ PAS MAL PRENDRE CE QUE JE VAIS VOUS DIRE.. MAIS.. HM..

..MOI.. ..À VOTRE PLACE..

..JE CROIS QUE.. HUM.. PROBABLEMENT.. JE ME CONTENTERAIS DE CONTRÔLER ATTENTIVEMENT MON SEXE.. ...

..ET J'OUBLIERAIS LES PRÉSERVATIFS. ...

À CONDITION QU'ELLE PRENNE LE TRAITEMENT, BIEN SÛR ! ...

VOUS.. VOUS VOUS FOUTEZ DE MOI LÀ ?!.. VOUS ÊTES EN TRAIN DE RÉDUIRE DIX ANS D'ÉDUCATION SEXUELLE À NÉANT...

..VOUS RÉALISEZ CE QUE ...

QU'EST-CE QUE DIRAIENT VOS COLLÈGUES ?... ...

HAHA ATTENDEZ ! ..BIENSÛRBIENSÛR ! ..HAHA !..

..VOUS ÊTES UN GARÇON SENSÉ.. ..VOUS..

HUM.. VOUS COMPRENEZ CE QUE JE VEUX DIRE ... ...

...C'EST ÉTRANGE...

JE CONNAIS CETTE MALADIE.......

JE LA CONNAIS ET JE M'ÉTONNE CHAQUE JOUR DE SON EXISTENCE !..

VOUS NE DEVRIEZ PAS AVOIR À AFFRONTER ÇA !...

IL EST TROP TÔT POUR LE TRAITEMENT...

ELLE VA BIEN.. VOUS LE SAVEZ...

...SI ELLE COMMENÇAIT MAINTENANT...

CE SERAIT COMME UN AVEU D'IMPUISSANCE...

BAH ! APRÈS TOUT !..

C'EST VOUS QUI DÉCIDEZ !...

SI VOUS VOYEZ LES CHOSES COMME ÇA !...

C'ÉTAIT IL Y A SIX OU SEPT MOIS ... IL AVAIT TRÈS HABILEMENT RÉUSSI À M'OUVRIR LES YEUX ..
.. OU PLUTÔT À ME PROPOSER UN ANGLE DE VUE DIFFÉRENT ...

POUR LA PREMIÈRE FOIS, QUELQU'UN DE CONCERNÉ ET D'INFORMÉ, QUELQU'UN QUI DÉTENAIT TOUTES LES CARTES, M'AVAIT DONNÉ UNE BONNE IMAGE DE NOUS-MÊMES ...

DEPUIS LORS, C'EST RESTÉ COMME UNE GROSSE BOUÉE, A LAQUELLE CATI ET MOI POUVONS NOUS RACCROCHER QUAND LA MER S'AGITE...

...ET LA MER S'AGITE DE MOINS EN MOINS...

140.

141.

ET VOUS SALUEREZ LA DEMOISELLE...

UN HUMAIN.. VOILÀ POURQUOI IL ME TOUCHE, JE CROIS..

UN HUMAIN, IRRITABLE, DÉBORDÉ... MAIS COMPÉTENT...

..QUI, MINE DE RIEN, A CHANGÉ MA VIE.. OU DU MOINS A INFLÉCHI SA DIRECTION...

193.

.. UN HUMAIN, ET UN MÉDECIN...

AUJOURD'HUI, AVEC CATI, NOUS AVONS PASSÉ LES CAPS D'EUPHORIE ET DE DOUTES DU DÉBUT.. J'AI LE SENTIMENT QUE NOUS AVONS SU EN RETIRER LE BON.. POUR AUTANT NOTRE VIE N'EST PAS DEVENUE TOTALEMENT "NORMALE", MAIS ELLE A ATTEINT UN RYTHME DE CROISIÈRE...

JE ME SENS.. DÉCONTRACTÉ.. CALME.. OUVERT À CE QUI SE PASSE À L'EXTÉRIEUR DE MA BOÎTE CRÂNIENNE...

146.

...ELLE AUSSI... J'ESPÈRE...

...BIENTÔT...

..MM..TRÈS BIEN..
JE M'EN ÉTONNE
CHAQUE JOUR..
...

POURQUOI
ÇA?!

JE SAIS PAS..
ÇA VIENT PEUT-ÊTRE
DE SES DOUTES
À ELLE...

ELLE PENSE
SOUVENT QU'ELLE
DOIT ÊTRE LA
PERSONNE LA PLUS
DIFFICILE À VIVRE
AU MONDE...

MOI JE TROUVE
ÇA PARFAIT..
...

DES FOIS JE ME DEMANDE
SI NOTRE HISTOIRE N'EST PAS
ÉCRITE À L'AVANCE PAR
UN SCÉNARISTE
CONSCIENCIEUX..

MOI JE LA
TROUVE EN FORME
EN TOUT CAS..
ELLE A L'AIR
HEUREUSE...

OUAIS..
JE CROIS..
...

SAUF PARFOIS
AVEC ELLE-MÊME..

MAIS ÇA
S'AMÉLIORE DE
JOUR EN JOUR..
....

152.

ELLE M'A TOUJOURS PLU.. DEPUIS LONGTEMPS.. DEPUIS TOUJOURS.. ET ON S'ENTEND PARFAITEMENT À TOUS LES NIVEAUX.. C'EST CE QUE LA PLUPART DES GENS RECHERCHE, NON?.

...ALORS JE NE VOIS PAS LE DÉBUT D'UNE RAISON DE ME PRIVER DE TOUT ÇA, JUSTE PARCE QUE, DE TEMPS EN TEMPS, JE DOIS M'ENFILER UN VINGTIÈME DE MILLIMÈTRE DE CAOUTCHOUC SUR LA QUEUE..

CE SERAIT COMME APPLIQUER UNE POLITIQUE D'EXCLUSION À LA PERSONNE QUE J'AIME LE PLUS.... ALORS QUE DÉJÀ JE DÉTESTE CETTE IDÉE APPLIQUÉE À DES GENS QUE JE NE CONNAIS PAS !
...

EN PLUS, TU SAIS AUSSI BIEN QUE MOI QUE ÇA NE CHANGE PRATIQUEMENT RIEN !...

OUI OUI
...

MAIS C'EST PLUS POUR LE SYMBOLE... POUR LE PRINCIPE, TU VOIS ?
...

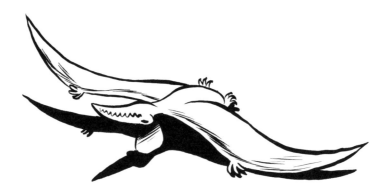

158.

..DITES..
VOUS N'ÊTES
PAS VEXÉ POUR
TOUT À L'HEURE,
HEIN ?..

..VOUS SAVEZ.. JE VEUX
BIEN RECONNAÎTRE À LA
SCIENCE SA CAPACITÉ À
PRODUIRE DES MIRACLES..

..À FAIRE
TRAVAILLER SON
IMAGINATION...

..D'UN
CÔTÉ
...

OSCAR WILDE A DIT : "JE PEUX COMPATIR À TOUT, EXCEPTÉ À LA SOUFFRANCE.. S'IL Y AVAIT MOINS DE COMPASSION DE PAR LE MONDE, IL Y AURAIT MOINS DE PROBLÈMES !"...

..OUAIS BEN J'EMMERDE OSCAR WILDE !...

AH ! .. TU VOIS ?! ..

À MON HUMBLE AVIS DE MAMMOUTH, TU PROJETTES SUR LE MONDE TES CONFLITS INTÉRIEURS..
...

..." JE PEUX COMPATIR À TOUT.. EXCEPTÉ À LA SOUFFRANCE", HEIN ?
...
.. MA.. ... MES CONFLITS INTÉRIEURS ..

....VOUS VOULEZ DIRE QUE J'AI PEUR DE COMPATIR PLUS QUE D'AIMER ?..

À PRIORI LE HIV NE FAIT PAS SOUFFRIR..

BIEN SÛR ! PSYCHOLOGIQUEMENT ! ..LE PARADOXE FAIT SOUFFRIR !

C'EST UNE MALADIE PHYSIQUE QUI TOUCHE À CE QU'IL Y A DE PLUS INTANGIBLE CHEZ L'HUMAIN.. ..L'AMOUR.. ELLE FAIT DES HANDICAPÉS DE L'AMOUR !.

..ALORS.. EST-CE QUE TU COMPATIS ?

... ..JEUNE PRIMATE ?

169.

MM.. DISONS QUE J'AIME SURTOUT.. ...

JE TOLÈRE DE MOINS EN MOINS LA COMPASSION ... JE VOUDRAIS AVANCER.. POUSSER LA MALADIE HORS DE NOTRE VIE.. JE VOUDRAIS ARRÊTER DE PARTAGER

TU N'AS PAS RÉPONDU! ...

HEM.. BON.. ...PEUT-ÊTRE.. ...JE COMPATIS AU SENTIMENT D'INJUSTICE.. IMAGINEZ.. CHEZ ELLE.. L'AMPLEUR DE CE SENTIMENT.. D'AILLEURS JE CROIS QUE POUR SOULAGER CETTE IMPRESSION D'ARBITRAIRE, ELLE PRÉFÈRE SE CULPABILISER.. SE DIRE QUE SI ELLE A ÉTÉ CONTAMINÉE ELLE LE MÉRITE, ELLE A UNE PART DE RESPONSABILITÉ.. ....

ELLE OUBLIE LE HASARD.. LE VERTIGE DE L'ARBITRAIRE...

CE QUI EST ENCORE PLUS INJUSTE!.. ..HUMAIN... MAIS INJUSTE..

..... À CETTE SOUFFRANCE-LÀ, JE COMPATIS... ...

MAIS TU FAIS LE CONTRAIRE.. TU BLÂMES LE MONDE POUR SA SOUFFRANCE À ELLE! ...

C'EST POUR ÇA QUE TU ES AGITÉ?. ...

C'EST PLUS PRATIQUE.. PEUT-ÊTRE.. ....

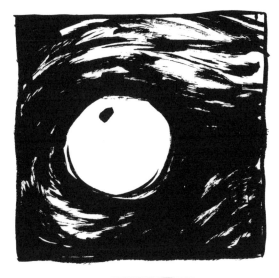

..BAVARD.. CINÉPHILE..ET RAPIDE !.
..ACCROCHE-TOI JEUNE PRIMATE.. ÇA VA SECOUER !.

ÉHO!.. QU'EST-CE QUI VOUS PREND ?!.

REGARDE DERRIÈRE!. DANS LE CIEL!. ON NOUS ATTAQUE !...

JE VAIS ESSAYER D'ATTEINDRE LE BOIS !.

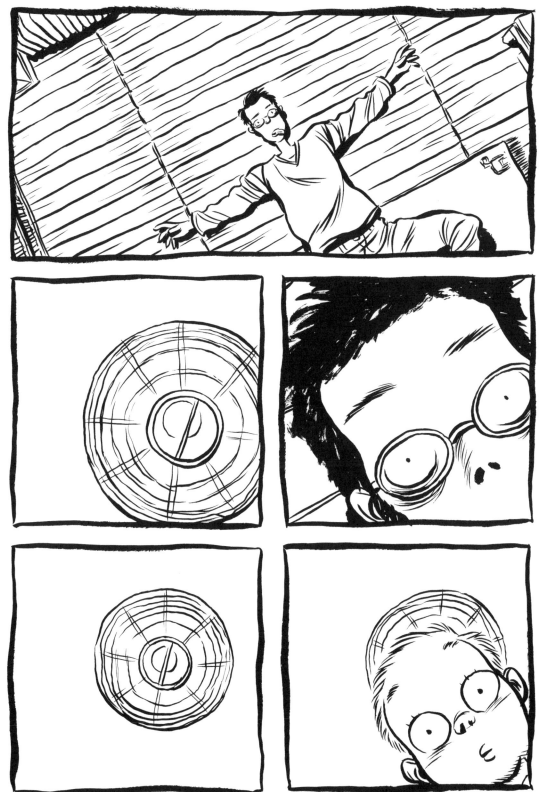

BON.. VOILÀ... J'AI FINI.. DEMAIN, JE PARS...

183.

3 MOIS QUE JE DESSINE CE QUE JE VIS OU CE QUE J'AI VÉCU..

3 MOIS QUE JE RETOURNE MA VIE AVEC EUX DANS TOUS LES SENS..QUE J'ÉCRIS, QUE JE DÉCRIS, QUE JE COGITE..

...SANS RÉPIT, SANS SORTIR LA TÊTE DE MA PROPRE VIE SENTIMENTALE...

JE SUIS VIDÉ..

AU DÉBUT, EN M'Y ATTELANT, JE M'ÉTAIS DIT QUE TOUT CELA M'AIDERAIT À METTRE DE L'ORDRE DANS MES IDÉES...

... À SAVOIR SI MES ENVIES ET MES AMBITIONS ÉTAIENT CLAIRES...

AUJOURD'HUI JE SUIS VIDÉ..

... PRESQUE DÉPRIMÉ MÊME...

MAIS J'AI L'IMPRESSION D'AVOIR ATTEINT QUELQUE CHOSE...

JE N'AI PAS D'EXPLICATIONS... COMMENT RECONNAÎTRE LA FIN DU CHEMIN, AUTREMENT QU'EN SE FIANT À CE SENTIMENT DE VIDE ??

185.

IL FAUT MAINTENANT QUE CETTE CONFUSION ENTRE RÉCIT ET RÉALITÉ S'EFFACE...

CLIC...

CLAC...

CLIC...

...IL ME FAUT UNE BONNE DÉCHARGE DE VIE CONCENTRÉE...

..ENFIN.. DEMAIN ..UN VOYAGE BIEN MÉRITÉ !..

zZZ..

AVEC CATI , NOUS AVONS PASSÉ DEUX JOURS À BIEN VÉRIFIER QUE TOUT ÉTAIT EN ORDRE.. SURTOUT POUR LE PETIT ...

RRR..
...

UN OU DEUX JOUETS FÉTICHES .. UN OU DEUX LANGES... ANTIBIOS... TRAITEMENT... TROUVER UN ÉQUILIBRE ENTRE PRATIQUE ET STRICT MINIMUM...

JE ME DEMANDE COMMENT SERA CE VOYAGE .. UN PEU CLANDESTIN, UN PEU MERVEILLEUX .. UN PEU COMPLIQUÉ ?..

...ENFIN...

DEMAIN, JE SUIS DANS L'AVION .. APRÈS-DEMAIN À BANGKOK...

189.

JE LA VOIS ARRIVER DANS LE HALL, AVEC SON ADORABLE MINE USÉE... LA TÊTE PLEINE D'ANGOISSES ET D'ENVIES...

... ET LE SAC PLEIN DE PETITES PILULES BLEUES...

Post-Scriptum...

... J'AI PEUR, CES TEMPS...
...

... DE QUOI ?
DE L'ALBUM ?
...

MM.. J'AI L'IMPRESSION QUE CE MOIS EST UN LONG SAS.. LE CHANGEMENT DE BOULOT.. LE PETIT QUI COMMENCE L'ÉCOLE.. MES PARENTS QUI COUPENT LES PONTS...

.. ET LE LIVRE QUI SORT BIENTÔT..
TROP TÔT..
C'EST ÇA ?..

BAH !.. MAINTENANT..
...
.. PLUS TARD..

ET JE SUPPOSE QU'IL EST ENFIN TEMPS QUE JE REVENDIQUE DES IDÉES FORTES..
..QUE JE PRENNE POSITION SANS DOUTER DE MA SANTÉ MENTALE...

C'EST JUSTE QUE J'AI PEUR..
..

J'Y CROIS MAIS J'AI PEUR..

HAHA.. ÇA VA ALLER.. TU VERRAS!

ÇA N'EST QU'UNE JOLIE HISTOIRE D'AMOUR ANONYME, AU FOND.. AU MIEUX LES GENS LA LIRONT EN SILENCE... AU PIRE, ILS S'EN FOUTRONT COMME DE LEURS PREMIÈRES VERRUES..

J'AIME PAS LES VERRUES.. C'EST CRADE, LES VERRUES..

OUAIS BON.. HUM.. C'EST UN EXEMPLE.. .. DISONS ROGNURES D'ONGLES SI TU PRÉFÈRES

..ET PUIS TOUT ÇA, C'EST UN VOYAGE.. UNE AVENTURE.. SI ON NE LE PUBLIAIT PAS, CE SERAIT COMME DE FAIRE PLEIN DE PHOTOS D'UN MOMENT INTENSE DANS UN LIEU EXOTIQUE....

...ET DE JAMAIS DÉVELOPPER LA BOBINE.. ..JE SAIS

PLIC PLIC PLIC PLOC PLIC

HAHA HA..

CET AUTOMNE S'ANNONCE DOUX ET ENSOLEILLÉ !

FREDERIK AOÛT 2001

treize ans plus tard

SALUT.

SALUT.

T'ES QUI TOI ? TU TE PRÉSENTES ?

BEN JE SUIS TA FILLE.

ET CELLE DE MAMAN.

ET TU AS QUEL ÂGE ?

NEUF ANS.

ET DEMI !

ET POURQUOI TU N'APPARAIS PAS DANS LE LIVRE ?

BEN PARCE QUE J'ÉTAIS PAS NÉE.

ET TU AURAIS VOULU Y ÊTRE ?

ÇA VA...

TU M'AS DESSINÉE DANS D'AUTRES HISTOIRES ALORS JE SUIS PAS TROP JALOUSE.

ET TU L'AS LU, CE LIVRE ?

PAS EN ENTIER... PARCE QUE ÇA ME FAISAIT BIZARRE...

...JE SAIS PAS TROP POURQUOI.

AH ? COMMENT, BIZARRE ?

BAH Y'A DES PASSAGES OÙ ON VOIT MON FRÈRE TOUT PETIT, J'AI PAS L'HABITUDE. ET À UN MOMENT, IL EST À L'HÔPITAL, ET ÇA, J'AIME PAS TROP...

DES FOIS TU AS PEUR POUR TON FRÈRE ET TA MAMAN ?

PAS TROP...

PAS SI ILS PRENNENT LES MÉDICAMENTS, ET JE SAIS QUE JE PEUX LEUR FAIRE CONFIANCE.

ET COMMENT ÇA SE FAIT QUE TOI TU N'AS PAS LE HIV, TU SAIS ?

BEN, PARCE QUE MAMAN ELLE A FAIT UNE CÉSARIENNE ?

C'EST VRAI. MAIS ÇA NE SUFFIT PAS. NORMALEMENT, ON DOIT METTRE UNE CAPOTE. ET COMMENT ON FAIT UN BÉBÉ AVEC UNE CAPOTE ?

JE... JE SAIS PAS TROP...

HUM, OUI, BON... JE T'EXPLIQUERAI ÇA UNE AUTRE FOIS.

TU VEUX DIRE QUELQUE CHOSE À LA PERSONNE QUI LIT LE LIVRE ?

FAUT PAS AVOIR PEUR DES GENS HIV. C'EST PAS PARCE QU'ILS ONT UNE MALADIE QU'ILS NE SONT PAS GENTILS.

JE T'AIME, MA BELLE.

MOI AUSSI.

PAS DE PROBLÈME AVEC LES VRAIS AMIS. MAIS BON, PARFOIS DES MECS ONT EU PEUR, J'AI BIEN VU. LE TRUC, C'EST QUE LE HIV, ILS CONNAISSENT PAS, ALORS JE PARLE DE SIDA, ET LÀ, Y'EN A QUI MARQUENT UNE DISTANCE.

AH OUAIS... MERDE...

C'EST COMME ÇA... ILS NE CONNAISSENT RIEN, ILS NE SONT PAS INFORMÉS... ET PUIS J'AI ÉTÉ CON DE TROP EN PARLER...

MAINTENANT, J'EN PARLE PLUS.

ET AVEC LES FILLES? ÇA BLOQUE DANS TA TÊTE?

NON.

FRANCHEMENT, JE PENSE PAS.

TU N'ANGOISSES JAMAIS À L'IDÉE DE LEUR ANNONCER, DE METTRE UNE CAPOTE, TOUT ÇA?

BAH, J'AI TOUJOURS UNE CAPOTE SUR MOI. DE TOUTE FAÇON, TOUT LE MONDE DOIT METTRE UNE CAPOTE AU DÉBUT, NON? APRÈS, BON, Y A TOUJOURS LE STRESS DE... BON...

OUI MAIS ÇA, C'EST LE STRESS DES JEUNES AMOURS...

OUAIS...

VOILÀ...

TU SAIS, CONTRAIREMENT À CE QUE J'AVAIS IMAGINÉ, C'EST PAS TRÈS PÉNIBLE À VIVRE...

ET LE SPORT?

BOXE ET THÉÂTRE.

À FOND.

ET LE SANG À LA BOXE?

QUAND JE SAIGNE, JE VAIS AUX CHIOTTES... NORMAL... EN PLUS, AVEC LE TRAITEMENT, JE N'AI PLUS DE VIRUS DANS LE SANG.

MON MÉDECIN M'A DIT QUE QUELQU'UN POUVAIT BOIRE UN LITRE DE MON SANG, ET QUE LE RISQUE DE TRANSMISSION RESTAIT MINUSCULE.

SALUT!

SALUT.

LE TEMPS A PASSÉ, HEIN?

ET ON EST TOUJOURS ENSEMBLE! QUI L'EÛT CRU?!

BEN MOI J'Y AI CRU. PAS TOI?

ON PEUT JAMAIS SAVOIR.

DONC? CE LIVRE?

LES CHOSES ONT CHANGÉ.

QU'EST-CE QUI A CHANGÉ?

ON PEUT VIVRE AVEC LE HIV MAINTENANT.

MAIS ON POUVAIT DÉJÀ VIVRE AVEC À L'ÉPOQUE, NON?

OUAIS ENFIN, AU DÉBUT ON M'A QUAND MÊME DIT QUE JE VERRAIS MOURIR MON FILS. ÇA A QUAND MÊME BIEN ÉVOLUÉ.

ON PEUT FAIRE DES ENFANTS SANS PROBLÈME, AUSSI.

AH BON?! ON A FAIT UN ENFANT?

BIEN SÛR.

UNE SUPER PETITE FILLE.

ET COMMENT A-T-ON FAIT ÇA?

FACILE, ON A PRIS TON SPERME DANS UNE CAPOTE, ET ON L'A MIS À L'INTÉRIEUR DE MOI AVEC UNE SERINGUE.

BERK!

HIHI! OUAIS, C'EST CHOUETTE.

SURTOUT QUE DEPUIS CE TEMPS, ON A MÊME PLUS BESOIN DE CAPOTE! LES TRAITEMENTS SONT TELLEMENT EFFICACES QUE LE VIRUS A DÉSERTÉ MON SANG.

ET POURTANT, LE DANGER EST TOUJOURS LÀ.

IL S'EST RÉFUGIÉ DANS MES GANGLIONS.

DONC JE DOIS ÊTRE TRÈS RÉGULIÈRE DANS LA PRISE DU TRAITEMENT POUR ÉVITER QU'IL NE REVIENNE.

ET C'EST DIFFICILE?

C'EST DIFFICILE DE NE PAS POUVOIR OUBLIER.

LE TRAITEMENT EST LOURD?

PLUS QUE TROIS PILULES...

...PEUT-ÊTRE BIENTÔT UNE SEULE.

ET TU VAS BIEN?

MH... TOP! JE CROIS... CE N'EST PLUS LE CENTRE DE MA VIE. JE CROIS QUE J'AI UNE VIE NORMALE.

SAUF SOCIALEMENT, PARFOIS C'EST COMPLIQUÉ.

C'EST-À-DIRE?

LES GENS NE SONT PLUS INFORMÉS. JE DOIS EXPLIQUER TOUTE L'HISTOIRE DEPUIS LE DÉBUT, TOUTES LES ÉVOLUTIONS MÉDICALES

C'EST TRÈS CONFUS... L'IGNORANCE ENTRAÎNE LA PEUR.

TU AS DÉJÀ EU DES PROBLÈMES AVEC ÇA?

BOF..

NON... PRATIQUEMENT JAMAIS EN FAIT.

MAIS JE N'EN PARLE PLUS, C'EST PLUS SIMPLE.

FINALEMENT ON S'EN FOUT, QUOI.

MH...

ON S'EN FOUT.

SAUF POUR MON FILS... JE PENSE À MON FILS, J'AIMERAIS QU'IL PUISSE AVOIR DES COPINES ET TOUT... C'EST CE QUI ME TRAVAILLE LE PLUS.

ET NOUS DEUX?

BÔH, BAH NOUS DEUX, QUOI!

SUPER!

T'ES BELLE.

TU VEUX DIRE QUELQUE CHOSE AU LECTEUR ?

LA VIE EST BELLE !

HAHAHA ! ÇA TE RESSEMBLE ASSEZ PEU, ÇA !

HIHI ! TU VEUX QUOI ?

UN MESSAGE PÉDAGOGIQUE ?

JE SAIS PAS, MOI...

OUI ALORS... GARDEZ L'ESPRIT OUVERT !

COMBATTEZ LES PRÉJUGÉS.

QUEL BLABLA !

QUOI ?!. TU NE ME SENS PAS HONNÊTE ?

NON NON... C'EST JUSTE... C'EST TRÈS CONVENU, QUOI...

MALGRÉ TOUT... J'Y PENSE SOUVENT... C'EST QUE... TOUT LE MONDE DEVRAIT AVOIR DROIT À UNE SECONDE CHANCE...

OUI... C'EST JOLI, ÇA...

C'EST TOUT ?

PLUS DE CAPOTE, PUTAIN !!

OUAIS PUTAIN !

MERCI... BISOU...

BISOU.

Par rapport à l'édition précédente, cette nouvelle édition bénéficie, en sus d'une nouvelle maquette, de dix pages supplémentaires : deux pages de post-scriptum, réalisées en 2001 et publiées à l'époque dans le dossier de presse du livre, et huit nouvelles pages dessinées exprès pour cette édition. L'éditeur

Les éditions Atrabile bénéficient du soutien de la Ville de Genève et de la Fondation Hans Wilsdorf.
Ouvrage publié avec le soutien de la République et canton de Genève et de la Loterie Romande.

  FONDATION HANS WILSDORF   RÉPUBLIQUE ET CANTON DE GENÈVE   Avec le soutien de la Loterie Romande

ISBN 978-2-9700165-6-4 pour la première édition © 2001 Atrabile
ISBN 978-2-88923-012-9 pour la nouvelle édition © 2013 Atrabile
Imprimé et relié en Europe. Dépôt légal : novembre 2013.
Atrabile | case postale 30 | 1211 Genève 21 | Suisse | Tél +41 22 328 10 15 | editions@atrabile.org | www.atrabile.org